La Premi[ère] Guerre mondiale

Texte de Stéphanie Ledu
Illustrations de Cléo Germain

Nous voici en 1914,
il y a 100 ans.

Les grands pays d’Europe
ne s’entendent pas bien.
Certains ont signé des **accords** :
si l’un d’eux est attaqué,
ses amis doivent l’aider.

EUROPE
GRANDE-BRETAGNE
DANEMARK
SUÈDE
RUSSIE
PAYS-BAS
BELGIQUE
ALLEMAGNE
FRANCE
SUISSE
AUTRICHE-HONGRIE
ROUMANIE
SERBIE
BULGARIE
ITALIE
PORTUGAL
ESPAGNE
GRÈCE
Pays alliés à la France
Pays alliés à l'Allemagne
Pays neutres, qui n'entreront pas en guerre.

Le 28 juin, le prince héritier d'Autriche-Hongrie est **assassiné** par un Serbe. Cet événement fait tout exploser !

Un mois plus tard, l'Autriche-Hongrie et l'Allemagne **entrent en guerre** contre la Serbie, puis contre la Russie, la France et la Grande-Bretagne.

Les hommes sont **mobilisés**. Ils doivent quitter leurs familles pour aller se battre. Chacun pense que la guerre sera courte. Mais elle va durer 4 longues années...

Les Allemands ont un **plan** : ils veulent écraser rapidement les Français avant de se retourner contre la Russie. Ils avancent si vite qu'en septembre 1914 ils sont près de Paris !

Du côté français, on achemine des renforts par train et par taxi. Les Allemands sont stoppés lors de la **bataille de la Marne**.

Puis plus rien ne bouge ! Les deux armées creusent des **tranchées** et se font face sur 700 kilomètres de long dans le nord de la France. Jour et nuit, on surveille l'ennemi, tout proche.

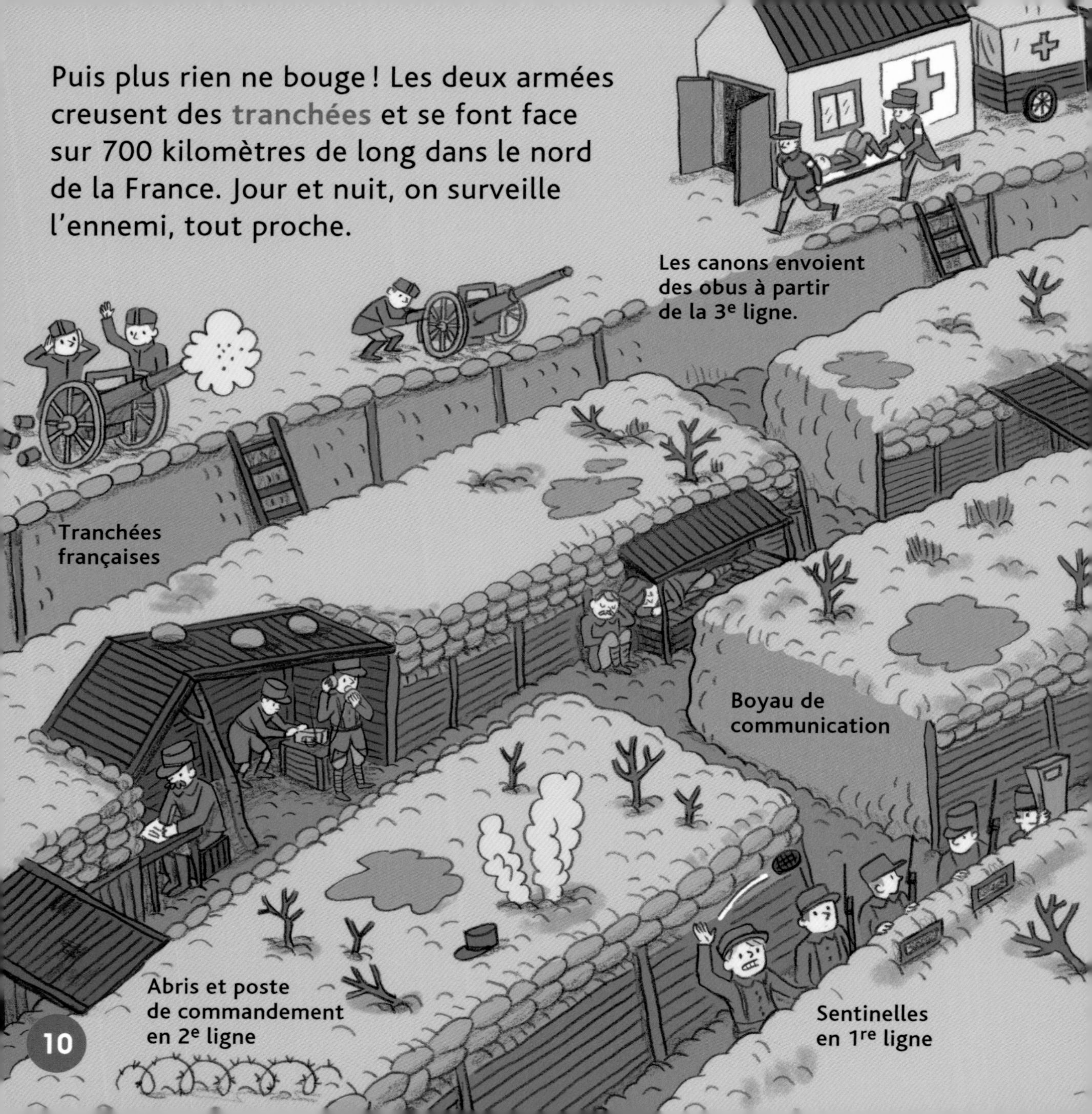

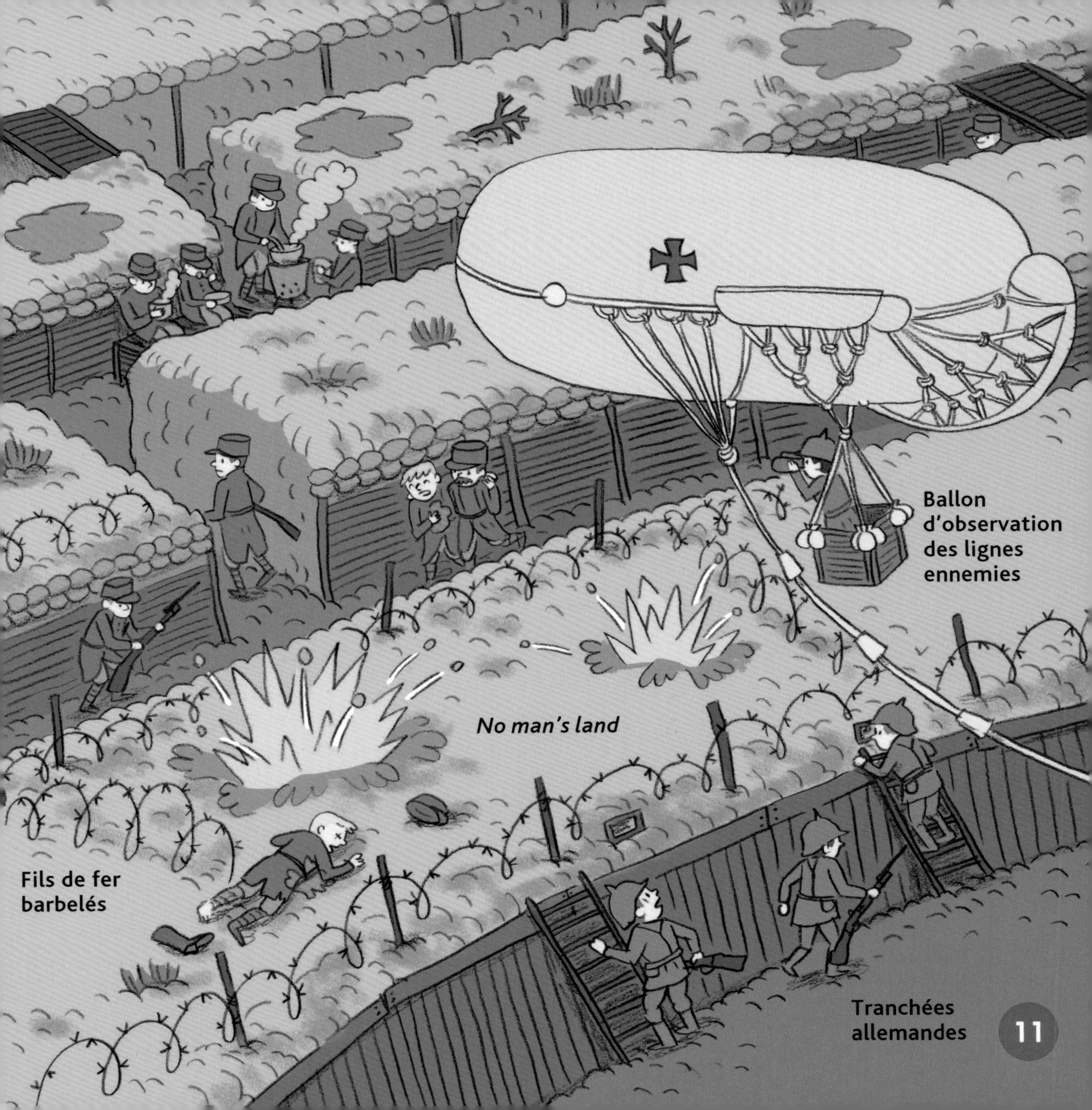
Ballon
d'observation
des lignes
ennemies
No man's land
Fils de fer
barbelés
Tranchées
allemandes

Entre deux **attaques**, c'est le calme. Mais même alors les soldats doivent lutter contre le froid, la boue, les rats, les poux... et la peur.

À leurs moments libres, les hommes écrivent ou jouent. Ils attendent le **courrier** : quelle joie de recevoir une lettre !

Les corvées sont nombreuses : creuser des abris, aller chercher de l'eau...

Les combattants de la Grande Guerre sont surnommés les poilus : à l'époque, ce mot désigne un soldat courageux. Ils sont aussi solidaires : ils s'entraident et partagent le peu qu'ils ont.

À l'attaque ! L'ordre est donné : il faut essayer de percer les lignes adverses.

Avant l'assaut, l'ennemi est bombardé pendant des heures. Puis, au coup de sifflet de l'officier, pas le choix : il faut s'élancer…

Les obus et les mitrailleuses font de très nombreuses victimes. C'est l'enfer !

La nuit, au risque de leur vie, les **brancardiers** vont chercher les **blessés**.

À partir de 1915, les deux camps utilisent des **gaz mortels**.
Les soldats sont équipés de **masques**.

À l'arrière, la vie continue. Tout le pays est **mobilisé** pour gagner la guerre.

Les femmes deviennent **munitionnettes** (ouvrières dans les usines d'armes), **infirmières** pour soigner les blessés… Elles remplacent les hommes dans les bureaux et dans les fermes.

Les soldats ont parfois une **permission** de quelques jours, mais ils devront bientôt rejoindre leurs **bataillons**.

Qui sait quand finira cette guerre, et qui en reviendra vivant ?

On se bat sur de nouveaux **fronts**. La Turquie et la Bulgarie soutiennent l'Allemagne. L'Italie, elle, change de camp et se range du côté de la France et des **Alliés**.

Chaque pays fait venir des soldats de ses **colonies**, les terres qu'il possède à travers le monde.

Les généraux alliés essaient de remporter des victoires dans les nouvelles zones de combat, comme en 1915 dans le **détroit des Dardanelles**. Échec !

La guerre n'en finit pas... L'invention de nouvelles armes la rend de plus en plus meurtrière.

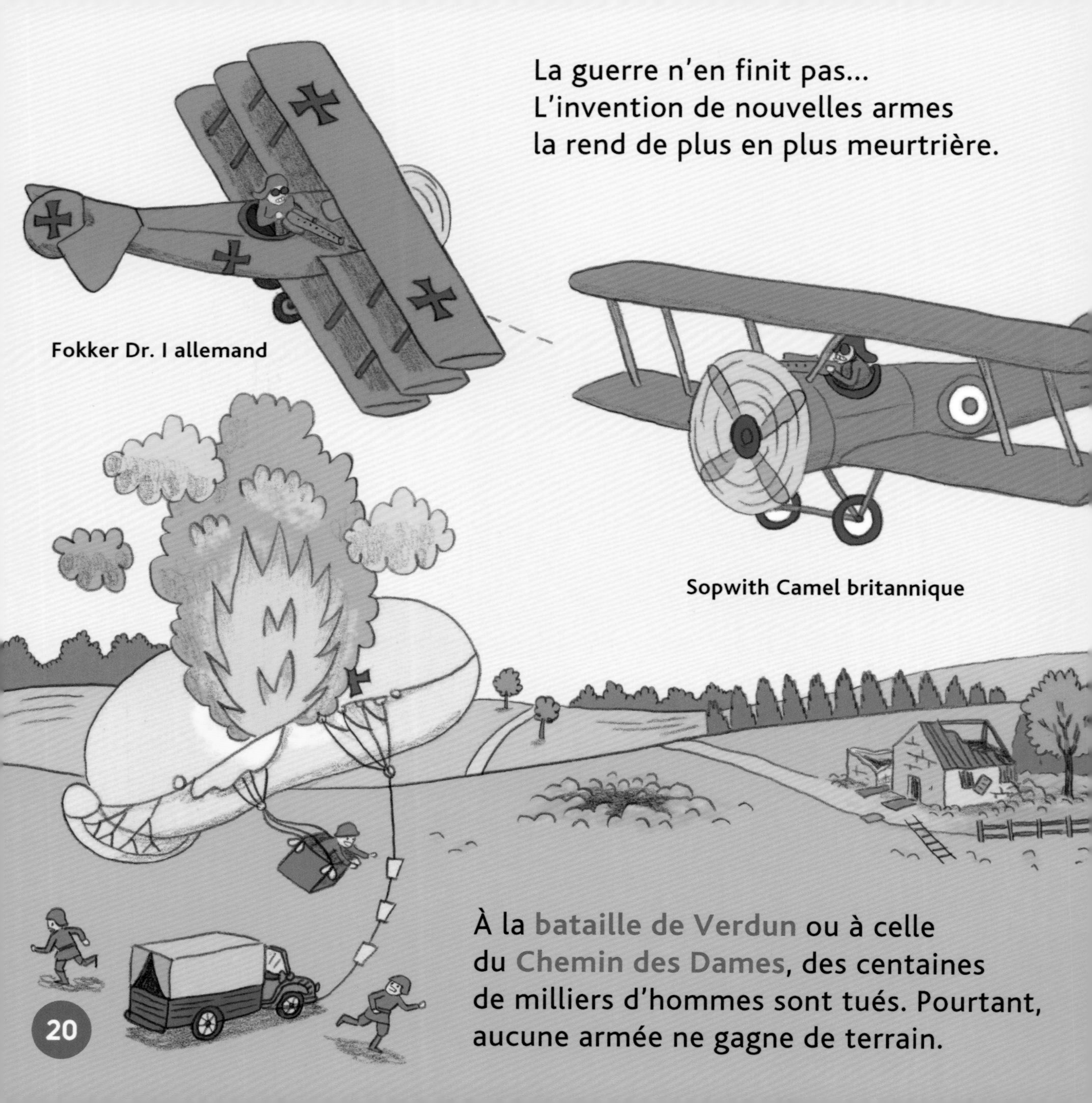

À la **bataille de Verdun** ou à celle du **Chemin des Dames**, des centaines de milliers d'hommes sont tués. Pourtant, aucune armée ne gagne de terrain.

Les avions existent depuis peu de temps. Mais, dans les airs, les combats font rage ! Au début de la guerre, les appareils survolaient l'ennemi pour connaître ses positions. Désormais, ils **mitraillent** et **bombardent**.

Trop de morts, de plus en plus de pauvreté : en 1917, les gens sont lassés de la guerre. Des soldats des deux camps **se mutinent** : ils refusent de se battre. En Russie, c'est la **révolution** ! Le pays se retire du conflit.

L'Allemagne décide de faire la guerre totale
en mer : ses sous-marins coulent tous
les bateaux qu'ils croisent. C'en est trop :
à leur tour, les États-Unis vont prendre les armes.
Convoi de navires marchands
Navire américain torpillé
Sous-marin U-Boot allemand

Les États-Unis ont une toute petite armée. Vite, ils doivent **recruter** des soldats et leur apprendre à combattre ! Avant l'arrivée de ces nouvelles **troupes**, les Allemands tentent une dernière grande attaque, qui échoue.

Pendant l'été 1918, les soldats américains et les nouveaux **chars** français font enfin basculer la guerre.

Le 11 novembre à 11 heures du matin,
les combats s'arrêtent : c'est l'**armistice**.
Les Alliés fêtent la victoire !

En juin 1919, un **traité de paix** est signé à Versailles.

Il prévoit que l'Allemagne perdra des terres et que son armée sera réduite. Quant à l'Empire austro-hongrois, il sera partagé en plusieurs petits pays.

La Première Guerre mondiale a fait **40 millions de morts et de blessés**.

En France, 36 000 monuments rendent hommage aux soldats morts à la guerre. Tous les ans, le 11 novembr on y dépose des fleurs.

Lors de la Grande Guerre, rares sont les familles qui n'ont pas perdu un père, un mari, un cousin, un frère...

Le Soldat inconnu, un combattant non identifié, repose depuis 1921 sous l'Arc de triomphe, à Paris.

Cimetière militaire de Douaumont, dans le nord-est de la France

Tous les soldats qui s'y sont battus ont rêvé qu'elle soit la **der des ders**. Hélas, le traité de Versailles donnera naissance à de nouvelles querelles. Et, 20 ans plus tard, l'Europe entrera de nouveau en guerre…

La collection de documentaires qui se racontent comme des histoires
et accompagnent les enfants dans leur découverte du monde.